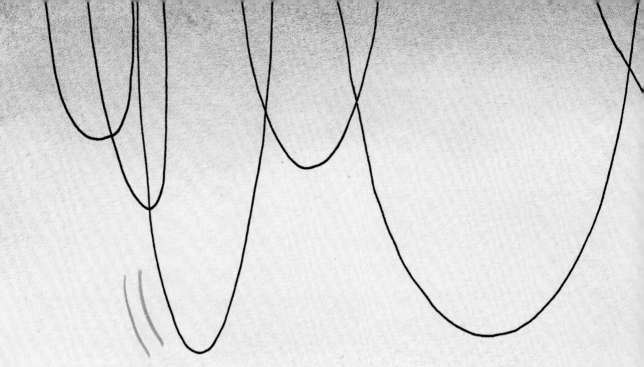

Colección **libros para soñar**®

© del texto: Gracia Iglesias, 2016

© de las ilustraciones: Rosa Osuna, 2016

© de esta edición: Kalandraka Editora, 2017

Rúa de Pastor Díaz, n.º 1, 4.º B. 36001 Pontevedra
Tel.: 986 860 276
editora@kalandraka.com
www.kalandraka.com

Impreso en Gráficas Anduriña, Poio
Primera edición: mayo, 2016
Segunda edición: mayo, 2017
ISBN: 978-84-8464-989-2
DL: PO 90-2016

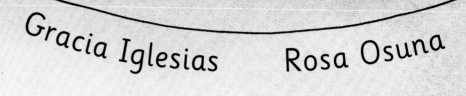

Gracia Iglesias   Rosa Osuna

EL HILO

kalandraka

«Hay un hilo en mi chaqueta»,
dijo estirando un poquito,

y la chaqueta encogió
mientras crecía el hilito.

Así, tirando tirando,
se deshizo la chaqueta,
pero aquel hilo seguía
unido a su camiseta.

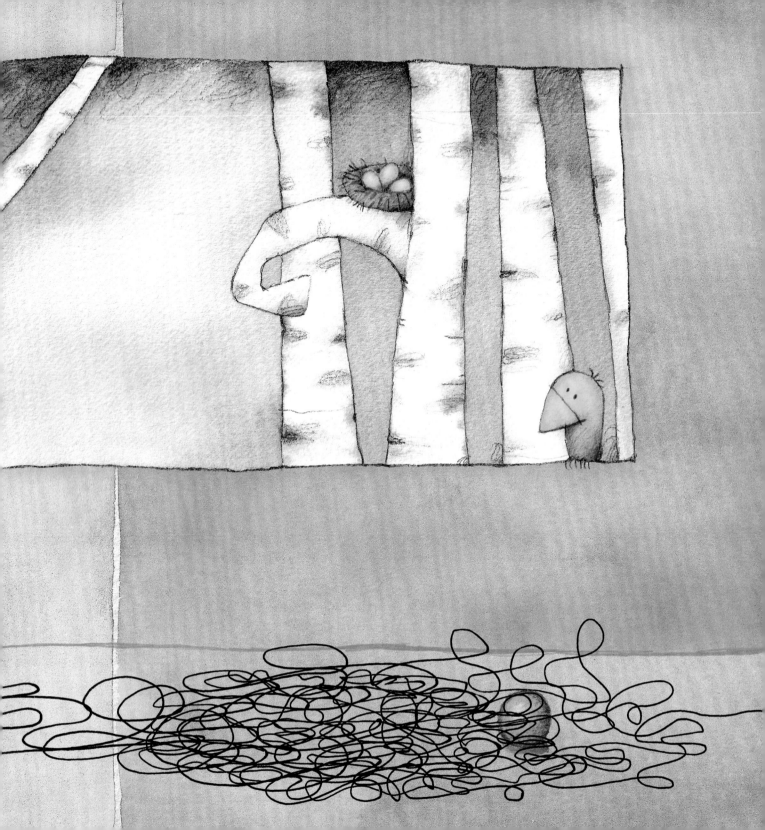

De modo que aún tiró más,
hasta que enseñó el ombligo.

Deshace que te deshace
siguió su camino el hilo.

Y por mucho que tiraba
no se acababa el follón,
y casi sin darse cuenta
se quedó sin pantalón.

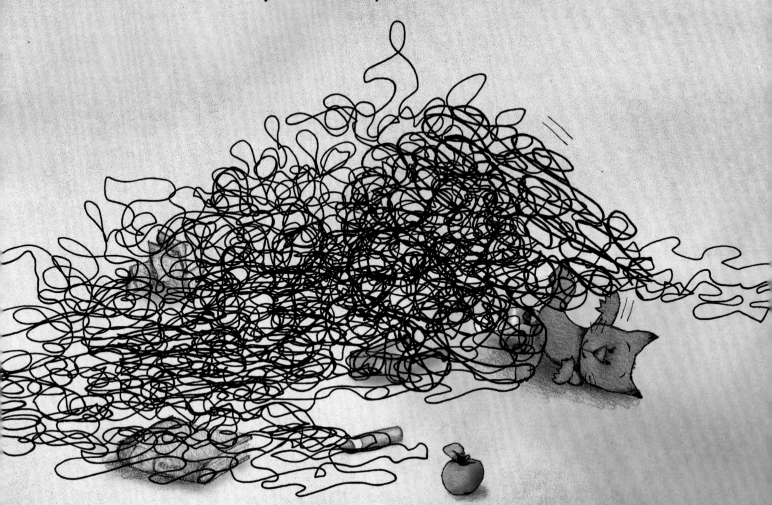

Lo que fue de sus botines
no te lo vas a creer:
mientras tiraba del hilo,
comenzaron a encoger.

En calzón y en calcetines
ya tiritaba de frío,
pero aún tenía pendiente
una cuenta con el hilo.

Así que, dale que dale,
sigue tirando y tirando,
y mientras el hilo crece,
su ropero va menguando.

Al fin, sin ropa ninguna,
ya creyó haber terminado,
pero el hilito aún estaba...

¡a un rayo de sol pegado!

Y el mismo sol descosió
aquel hilo traicionero,

después deshizo una nube
y más tarde el cielo entero.

Descendió por una rama
del abedul más cercano,
y desbarató aquel bosque,
que estaba cosido a mano.

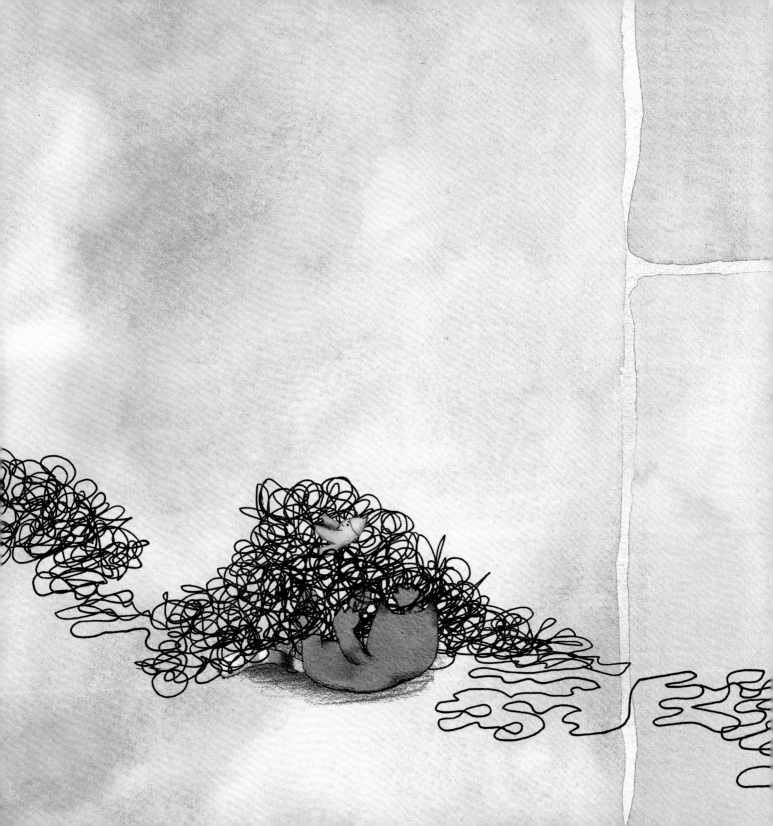

Cuando terminó esta historia
se encontró solo y cansado,

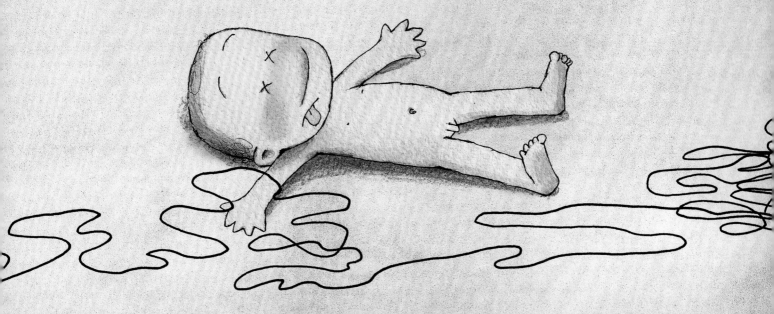

en una página en blanco

junto a un ovillo enredado.